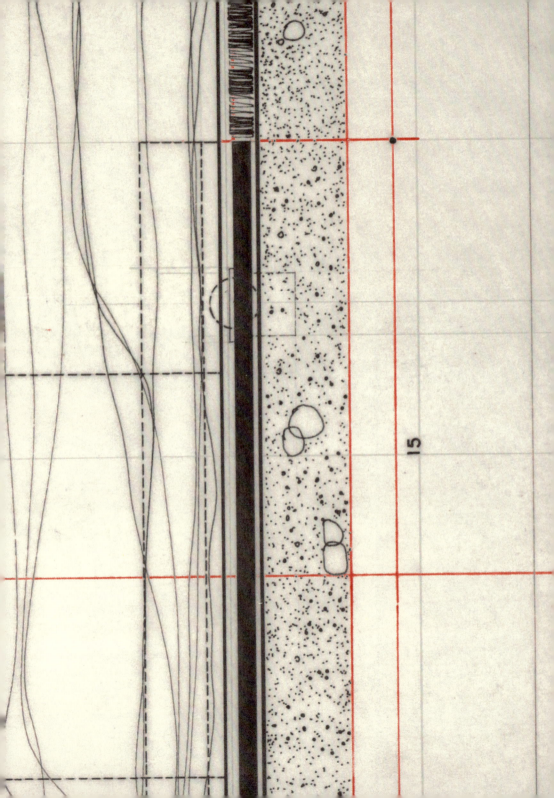

ubu

PAULO MENDES DA ROCHA

CASA BUTANTÃ

ORGANIZAÇÃO **CATHERINE OTONDO**
ENSAIO FOTOGRÁFICO **LITO MENDES DA ROCHA**

A CASA SEM PINTURA 25

CATHERINE OTONDO

SOBRE A CASA BUTANTÃ 33

PAULO MENDES DA ROCHA

O ESPAÇO COMO PROJETO SOCIAL 105

FLÁVIO MOTTA

A CASA SEM PINTURA

CATHERINE OTONDO

Sí, sabemos que el hábitat disperso generado por la vivienda unifamiliar y por el automóvil que la hace accesible es un disparate ecológico, un atropello paisajístico y un empobrecimiento social: el despilfarro de recursos materiales y energéticos en su construcción y mantenimiento es una agresión contra el planeta; la extensión indiscriminada de ese tapiz de baja densidad degrada irreversiblemente el territorio, y la fragmentación de la vida colectiva destruye la tupida red de contactos que es la principal riqueza de las ciudades, el soporte de su prosperidad y la base de su atractivo. [...]

Pero la casa nos fascina y nos seduce.

LUIS FERNÁNDEZ-GALIANO

Durante os anos 1960 e 80, o arquiteto Paulo Mendes da Rocha projetou aproximadamente trinta residências unifamiliares, das quais 23 foram construídas.

Essas casas representam realizações fundamentais para a compreensão da trajetória projetual do arquiteto, tanto na dimensão do raciocínio espacial, quanto no estabelecimento de um procedimento preciso em relação a valores ligados à técnica e à estética.

Tais realizações, no entanto, pouco aparecem em publicações, seja em revistas, seja nos poucos livros dedicados exclusivamente à sua arquitetura. A ausência explica-se, em parte, por uma escolha pessoal. Em seu primeiro livro retrospectivo, publicado pela editora Cosac Naify em 2000, por exemplo, entre os mais de cinquenta projetos selecionados pelo arquiteto, apenas um é de uma casa – a Casa Gerassi (1988).

A cidade desejada pelo arquiteto não poderia ser feita de casas isoladas em um lote, separadas do convívio da rua, segregadas em bairros monofuncionais, pelos quais se circula predominantemente de carro. Ou seja, projetar casas – especialmente quando há um consenso de que as cidades devem se tornar mais compactas, densas e de uso misto – pareceria um horizonte apequenado, distante da vocação da arquitetura a que aspirava.

Chama, por isso mesmo, a atenção o número de casas construídas em um período de tempo bastante curto. A realização de projetos residenciais particulares deu-se, sobretudo, durante o período da ditadura militar, quando o arquiteto teve seus direitos civis cassados pelo Estado, ficando impedido de participar de projetos públicos. Restava-lhe projetar casas.

A partir do início da década de 80, com o gradual processo de abertura política do país, a realização de projetos residenciais diminuiu consideravelmente. Nos anos 70 foram realizados 26 projetos de casas. Na década de 80, oito. Nos anos 90, quatro. Nos anos 2000, apenas cinco.

Naquele período, houve expressiva produção de residências unifamiliares atendendo à demanda de uma classe social com alto poder aquisitivo em São Paulo. São obras realizadas por um grupo de arquitetos que compartilham valores estéticos, formais e programáticos, constituindo o que ficou historicamente conhecida como Escola Paulista – caracterizada por construções, segundo Ruth Verde Zein, que remetem ao brutalismo corbusiano pela disposição espacial dada por blocos únicos destacados do chão, pela procura de horizontalidade e pelo uso da estrutura em concreto armado protendido, "valorizando sua qualidade de manufatura".

O exame da trajetória completa de Paulo Mendes da Rocha permite afirmar que projetar casas foi uma espécie de laboratório para o arquiteto, onde pôde ensaiar soluções técnicas, espaciais e materiais que foram consolidando seu modo particular de pensar e fazer projetos. Por sua escala reduzida, as casas foram ideais para tais ensaios, sendo evidente a relação que algumas residências possuem com projetos desenvolvidos posteriormente.

Este livro apresenta uma dessas casas: a Casa Butantã, realizada em 1964, na qual Paulo Mendes da Rocha morou com sua família entre os anos 70 e 90.

A estrutura do livro apoia-se em três narrativas, três vozes: o arquiteto que nos conta a constituição do projeto, os desenhos que ilustram essas ideias e explicitam seu modo construtivo – como as coisas são feitas –, e o ensaio fotográfico de Lito Mendes da Rocha, diretor de fotografia, filho do arquiteto e atual morador da casa, que apresenta uma coleção de imagens feitas com o sabor do dia a dia.

Coube a mim costurar essas linguagens, e com um viés afetivo. Durante muitos anos, aquela foi para mim a casa da Jô, minha vizinha, onde brincávamos com a turma do bairro, dormíamos vendo a lua pela janela do teto do quarto, escorregávamos no morro, tomávamos banho de chuva nas piscininhas de concreto, fazíamos festas, o diabo! Desfrutamos toda a liberdade que o lugar oferecia por ser uma casa sempre aberta, como se fosse feita para nós, crianças.

Com o tempo, tais lembranças se misturaram com meu olhar de arquiteta, permitindo-me enxergar na Casa Butantã um viver muito particular, que exige porções de generosidade, transigência e sensibilidade de cada um com o outro. Um espaço que forma e transforma, ampliando os horizontes da existência de quem vive essa experiência.

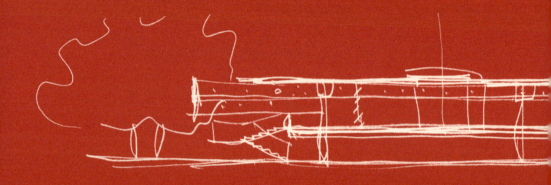

    Numa primeira aproximação, os desenhos do projeto da Casa Butantã podem dar a falsa impressão de que se trata de uma arquitetura de apreensão fácil, dado o uso de formas simples e reconhecíveis. Entretanto, depois de anos estudando e manuseando o acervo de desenhos do arquiteto, e, sobretudo, frequentando as obras construídas, identifico uma complexa relação entre o pensar e o fazer no seu modo de projetar. Este modo se caracteriza pela concisão, resultando num desenho justo, preciso e sintético. Assim, uma linha dupla representando um fechamento lateral é uma peça única de concreto de x metros de comprimento por x de largura, a qual opera como parede, platibanda, calha de água pluvial e se dobra em uma janelinha em balanço. Ou seja, um traço no papel realiza várias operações no concreto. Por isso, trata-se de uma arquitetura que exige o olhar pelo estar, pelo movimento, pela experiência espacial. E é essa ampliação do olhar que propomos aqui.

    A Casa Butantã, de 1964, é um caso exemplar. Sobre uma pequena colina em frente à Casa do Bandeirante, no bairro do Butantã em São Paulo, o arquiteto construiu duas casas idênticas. No terreno próximo à esquina está a casa feita para a família do arquiteto, e, ao lado, a de sua irmã.

    As casas foram implantadas no terreno em conjunto, separadas por um talude ajardinado. Fisicamente o que as une é um

pequeno túnel cavado sob esse talude. Uma espécie de passagem secreta.

O volume da casa é constituído por apenas seis superfícies justapostas em comprimento, altura e largura, as quais encerram um espaço interior único, com duas faces transparentes e duas opacas, um piso contínuo de madeira e um teto plano perfurado por claraboias de vidro transparente.

A planta é organizada como se fosse uma casa térrea elevada, com um rigor "miesiano", no qual todo o programa (exceto as áreas de serviço) está disposto em setores bem determinados. Uma casa moderna na sua essência como o homem que a habita.

Nos espaços internos, a separação entre as funções de estar, trabalhar e dormir é feita apenas por elementos leves que não chegam até o teto, exigindo do morador certo empenho em aceitar o convívio com o outro.

O acesso à residência é feito pela escada de concreto, na qual o patamar de virada dos lances ganha uma dimensão exagerada, transformando-se em alpendre. Nele, duas cadeirinhas e um cafezinho fazem o programa da tarde.

A porta de entrada alinha-se abruptamente ao último degrau dessa escada, abrindo-se para um espaço "sem nome": com comprimento equivalente a toda a extensão da casa, é uma espécie de varanda fechada para onde se abrem todos os quartos e a cozinha. Nessa varanda há uma longa bancada de concreto: sobre ela estão a máquina de costura, os brinquedos, os livros que não cabem nas prateleiras, a roupa a ser distribuída pelos quartos, o correio e as chaves do carro. Nas extremidades da varanda há duas janelinhas de contemplação, uma no nível do tampo da mesa da copa, outra na ponta oposta da casa, por onde vemos quem vem da rua.

Os quartos, dispostos no meio da casa, não têm janelas na parede, estas ficam no teto. Quando há lua cheia, o quarto fica azul. À tarde, dourado. Toda hora muda de cor. Dentro de cada quarto há vários ambientes: o de estudo, o de dormir, o de se trocar e o de se banhar. Tudo em sequência, como se fosse um pequeno apartamento.

Do lado de lá dos quartos está a sala, com a mesma extensão da varanda, porém mais profunda. Na sala estão os ambientes de estar, ler, escutar música e de comer. Tudo nela é de concreto: as mesas de jantar e de trabalho, as prateleiras, a lareira e os sofás.

Ao contrário de uma casa "tradicional", não há diferença formal entre frente e fundos. Não há revestimento externo, nem interno. A cor da casa é a cor do concreto. Diferente das outras casas, como dizia o carteiro do bairro, ela era fácil de reconhecer pois era a "casa sem pintura"!

O caixilho que fecha a frente também fecha o fundo. Ambos sombreados por uma pérgola de concreto. Nas laterais opostas, as empenas de fechamento da casa são superfícies de concreto bruto com poucas aberturas – as janelinhas já mencionadas e um vão de luz que se forma inesperadamente entre o peitoril de blocos de concreto e a empena. Nesse caso, a janela fica no plano horizontal, como um tampo de vidro iluminado, através do qual espiávamos quem tocava a campainha. Depois compreendi que esse vidrinho quando aberto trazia uma brisa fresca para o interior da casa.

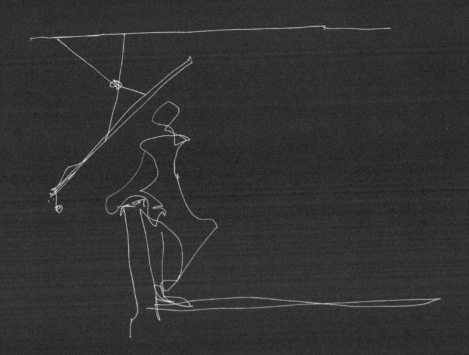

O sentido de totalidade espacial pode ser percebido, de modo mais direto, pelo chão de tábua corrida que percorre a casa inteira. Da cozinha ao banheiro, da sala ao corredor.

Quase não há portas. As poucas existentes fecham os quartos e são idênticas – madeira com veneziana. Quartos, sala e varanda transformam-se em um espaço único num simples correr de portas, permitindo um movimento fluido, pois não há corredores sem saída, nem salinhas fechadas. A rigidez das funções domésticas, determinada de modo tão preciso na planta, parece dissolver-se com um simples abrir de portas. Em dia de festa, tudo vira um grande salão e a casa inteira brinca.

Esse caráter movente caracteriza o pensar do arquiteto, revelado no seu projetar próximo à dimensão construtiva da obra, de como são feitas as coisas, de sua materialidade e seu funcionamento, por meio do qual o artífice aproxima-se do engenheiro. O singular do reproduzível. Um modo de projetar que transforma o espaço da vida das pessoas numa proposição nova, sem hierarquias, livre, divertida e larga.

O texto a seguir é uma edição de uma conversa gravada entre Paulo Mendes da Rocha e Catherine Otondo em 10 de outubro de 2015 e de alguns trechos do filme *PMR 29'* (2010), realizado em colaboração com Carolina Gimenez, João Sodré, José Paulo Gouvêa, Juliana Braga e Michel Gubeissi.

SOBRE A CASA BUTANTÃ

DEPOIMENTO DE PAULO MENDES DA ROCHA

Já naquela época [1964], você começa dizendo que não deveria haver casa isolada em um lote urbano. Digo isso como alguém da minha geração, tratando de uma questão que se impõe desde os anos 1960. O próprio planeta não admite mais que você venda um pedaço dele para se fazer uma casa, e com isso, pouco a pouco, constituir uma cidade inteira nesses moldes. Não é essa a ideia de cidade contemporânea.

Eu já tinha quatro filhos quando construí a casa. Era mais para eles se divertirem, terem o gozo do lugar por dentro e por fora. Uma visão lúdica da casa. Quando é lúdico, tudo funciona: você desfruta uma ideia oposta à da funcionalidade dos espaços.

Esta casa pode ser compreendida assim: uma construção engenhosa que foi feita para ser ocupada como uma casa. Os arranjos internos são portanto soluções para essa ocupação. Daí a ideia do Flávio Motta de "favela racionalizada" [ver p. 107].

DA CONSTRUÇÃO

As duas casas foram construídas ao mesmo tempo. A fôrma de uma passava para a outra. Como se sabia que faríamos duas casas, era uma virtude do sistema prever um desenho de fôrma que pudesse ser retirada e reutilizada. Ou seja, mesmo não sendo idênticas, as quatro lajes – duas de piso e duas de cobertura – foram feitas com essa ideia de reaproveitamento.

TERRAPLENO E O RIO

O terrapleno e as fundações também foram feitos para as duas casas concomitantemente.

A cota do terreno original era a mesma da Casa do Bandeirante (em frente). Ali era uma colina que foi cortada para fazer a rua. Achei que seria interessante manter essa relação entre os dois lados da rua. Por isso elevei a casa, não para fazer garagem – naquele tempo, as famílias só possuíam um carro e olhe lá –, o espaço era para outras coisas: festas, mesa de pingue-pongue, houve uma época em que os meninos montaram até uma fabriqueta de pranchas de surfe.

Não estava construída a marginal do lado de cá. Ali embaixo imaginei que poderíamos ter um barco a remo, e eu e os meninos poderíamos sair para remar. Eu mesmo remei no Tietê. Cheguei a pensar nisso: até um barquinho poderíamos ter! Pensei no rio como um lugar para as crianças brincarem. Não se esperava esta poluição a ponto de transformar o rio em algo podre.

Daí um belo dia começaram a construir a marginal do lado de cá...

ESTRUTURA

O raciocínio, em tese, lembra a ideia da pré-fabricação, onde há uma modulação rigorosa e a repetição das peças. Entretanto, como de fato não iríamos pré-fabricar as peças, realizamos a concretagem *in loco*, e as peças foram fundidas e não sobrepostas – como requer uma construção pré-fabricada. Ou seja, partimos de uma visão estrutural, que é isostática, para a realização de uma estrutura hiperestática. O que valoriza os recursos das dimensões [das peças] em relação aos esforços capazes de suportar. Uma estrutura hiperestática trabalha melhor, no sentido de menores alturas estruturais, por exemplo.

    Se precisar de uma explicação dos dois sistemas: em uma estrutura pré-fabricada, as peças já vêm prontas e são montadas por sobreposição no canteiro. São peças, portanto, que têm espessuras e alturas maiores que uma estrutura feita no local. Exigem uma altura estrutural maior porque uma peça fica sobre a outra, ao contrário de uma estrutura moldada *in loco*, na qual as vigas de sentidos opostos podem ser coplanares.

BRINCADEIRAS: O GOZO DA IDEIA

O desfrute do recinto construído passa a ser para o arquiteto. Do ponto de vista da autoria, é uma casa que se faz como um verdadeiro ensaio lúdico. Nesse momento do projeto, surgem artefatos muito interessantes, tais como o esquentador da toalha para o banho, o sistema de abertura dos caixilhos, as portas, a escada, os puxadores etc.

Tais artefatos são complementos justapostos à estrutura principal de concreto armado. São elementos independentes da estrutura principal, no sentido que poderiam ser aqueles que lá estão ou outros.

Quando você faz um prédio de trinta andares na avenida Paulista, você não sabe de antemão se aqueles espaços serão ocupados por um consultório ou uma sala de ginástica, advogados, uma empresa de engenharia etc. Portanto, é muito interessante reiterar a ideia da arquitetura como o amparo à imprevisibilidade da vida.

Usamos, mais uma vez, o concreto armado para fazer as paredes internas, os armários de cozinha e dos quartos, os móveis, a lareira. Tanto que a planta de uso interno de uma casa não é idêntica à da outra. Obedece a uma lógica que a própria estrutura exige, mas não é a mesma. São duas plantas.

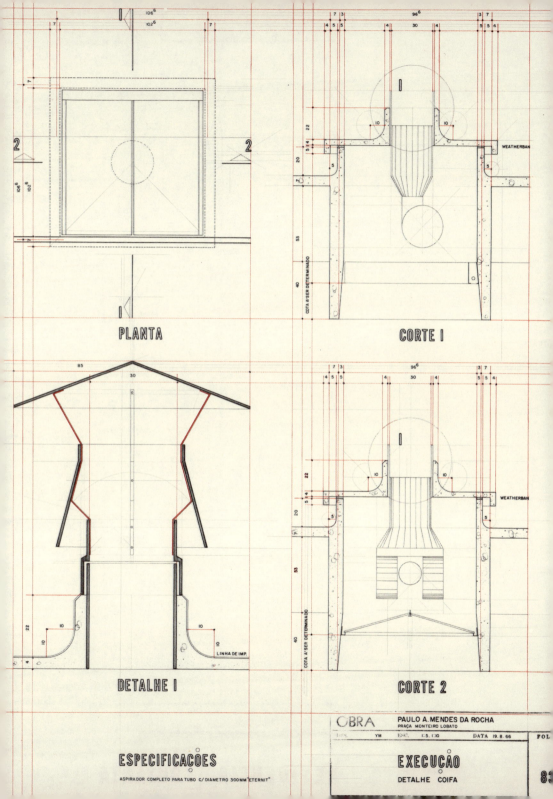

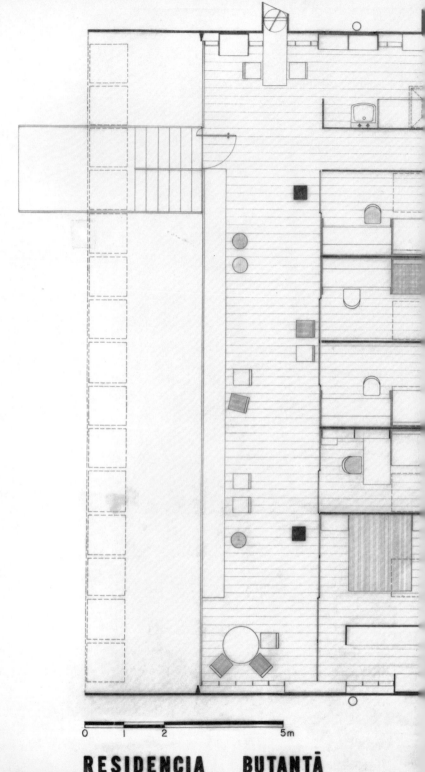

RESIDENCIA BUTANTÃ

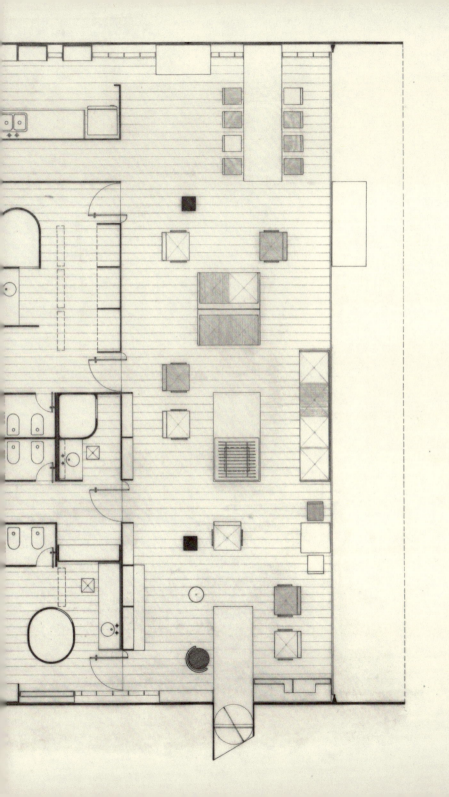

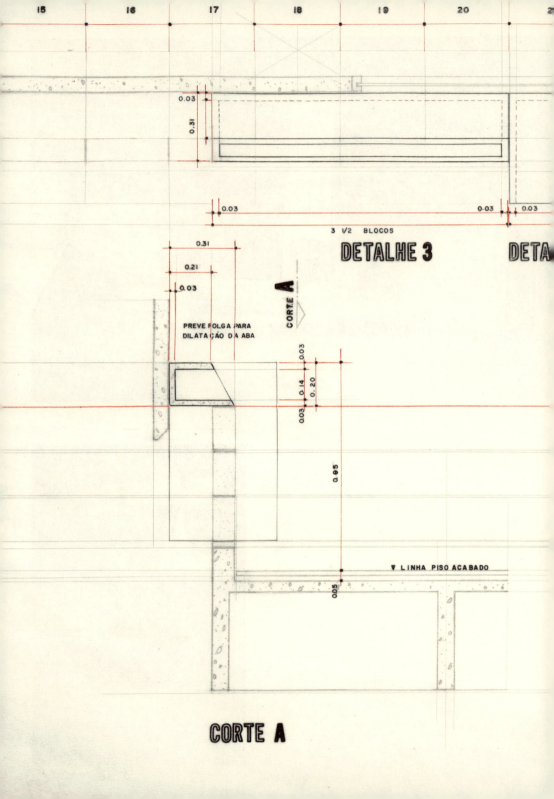

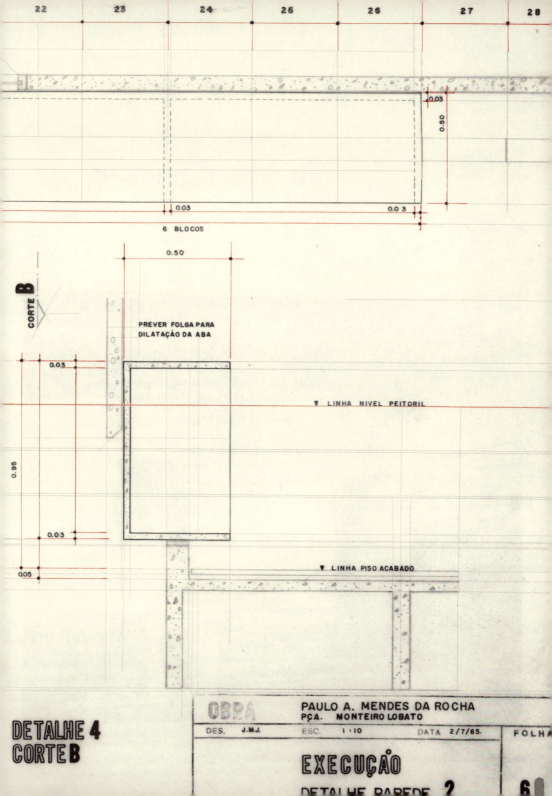

A ESCADA

A escada não poderia se apoiar na estrutura da casa, tinha que ser solta. O último degrau da escada não encosta na casa porque a estrutura vibra de um jeito que não se poderia fazer uma ligação efetiva entre elas.

Fiz o patamar da escada como um primeiro recinto de recepção das pessoas. Uma coisa que as pessoas não percebem é a existência de duas frestas no peitoril. Aquilo é para encaixar a barra inferior de um (eventual) toldo que, sem balançar com o vento, protege esse recinto para o caso de chover.

No peitoril, quando termina o patamar – como um pequeno belvedere –, há dois furos, ali era para passar um ferrinho para as crianças não caírem; mas não fiz, não precisou.

Essa obra é cheia dessas brincadeiras. É um divertimento, como se diz em música, um *divertissement*.

ÁGUA PLUVIAL

Em princípio, não seria necessário todo aquele recinto para receber a água das chuvas, mas eu fiz de propósito.

Primeiro pensando na quantidade de água da cobertura que deveria sair pelos dois tubos, gerando um grande volume de precipitação.

Fiz a caixa de um tamanho exagerado (um metro por um metro) para gozar mais daquilo. Porém, tem um detalhe que pouca gente nota: essa água cai no tanque e, para chegar no sistema de drenagem, bastaria colocar um ralo no fundo. Mas, se eu quisesse, poderia ter água de chuva puríssima guardada um tanto. Então, o tubo que sai da caixa para a galeria de águas pluviais é feito com uma peça em "t", que fica no chão. Se você quiser, pode tampar o tanque e armazenar água para regar o jardim, lavar. Portanto, aqueles tanques têm a capacidade de acumular a água da chuva pelo tempo que você quiser. O que hoje é tido quase como "lei", foi feito como uma atitude puramente diletante, lírica, sobre a chuva, cuja água poderia ser descartada, mas talvez não seja o caso. É tão linda a água da chuva. As crianças gostam.

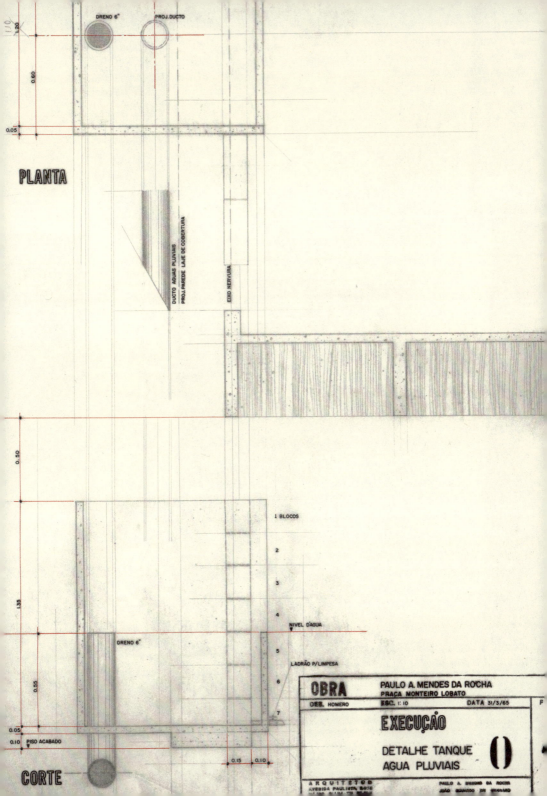

CLARABOIAS NA COBERTURA

A casa foi desenhada para ter um filme d'água na cobertura como isolante térmico, o que também não foi feito.

Havia um ladrão antes da calha, com duas alturas. Se você fecha numa altura mais baixa, a água sai de modo que a lâmina de água abaixa, criando um espaço entre a borda da claraboia e a água, o que permitiria a entrada do ar para dentro da casa. No inverno se faria o contrário: fecha o ladrão, a água sobe e veda essa passagem de ar entre a água e a claraboia, evitando a entrada de ar frio. Um movimento de respira ou não respira conforme as estações do ano.

As claraboias eram formadas assim: a laje da cobertura tem quatro centímetros de espessura e as nervuras têm 32 centímetros. Para conformar as claraboias, estendemos abas de concreto no sentido transversal, de modo a formar, junto com as nervuras, uma caixa de concreto.

Para o fechamento da claraboia, fizemos uma estrutura de aço por fora da parede, que é presa quatro vezes. O vidro é posto na horizontal com uma guarnição de borracha.

Do lado de dentro da casa tem outro detalhe: a caixa de concreto, quando desce, não alinha com o fundo da nervura. Falta um centímetro. Dá pra ver essa distância no desenho e na construção. Foi deixada para passar um trilho de cobre, dentro do qual você coloca varetas de guarda-chuva com seda marrom ou preta, fazendo uma cortininha para o quarto, que abre e fecha com a haste pendurada.

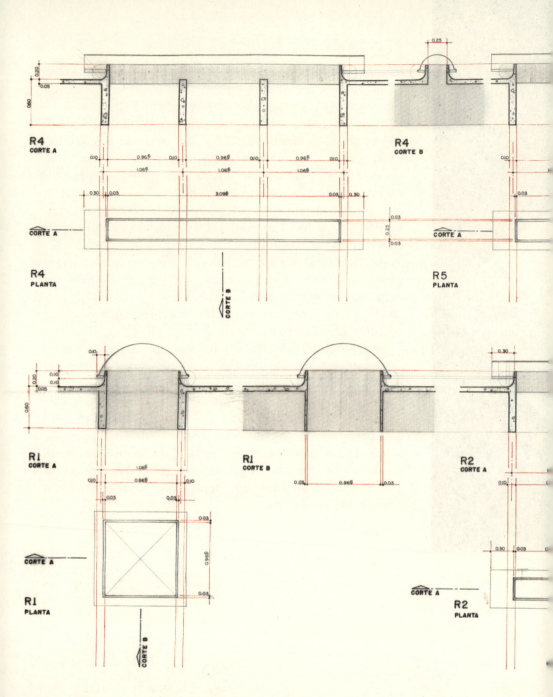

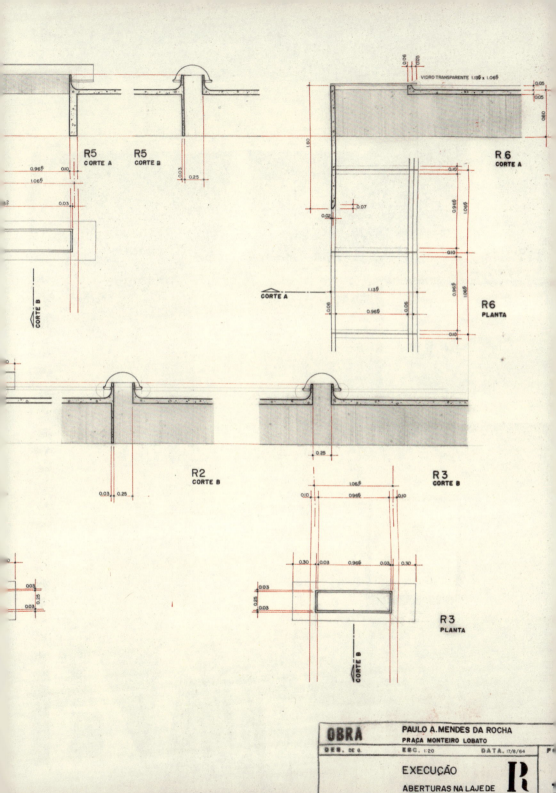

O PISO DE MADEIRA

Juntamente com o magnífico engenheiro calculista Shigeru Mitsutani, fizemos a laje de piso com quatro centímetros de espessura, sobre a qual foi colocado um piso de madeira. Ali, há uma contradição interessante, pois eu tenho uma certa aversão ao uso de tábuas de madeira, que me fazem lembrar uma coisa de casa neocolonial. Quer dizer, a princípio, eu teria horror daquele piso, mas não sabia bem o que fazer pois o sistema construtivo que havíamos imaginado demandava que a instalação elétrica passasse pelo piso. Então apareceu a seguinte hipótese: as tábuas de madeira – eu tinha um amigo do Mato Grosso que trabalhava com madeira e poderia me fornecer a matéria-prima – apoiam-se em barrotes de quatro centímetros de altura, possibilitando que você ganhe o vazio entre a tábua e o concreto, por onde foi possível fazer a passagem das instalações elétricas e criar um colchão de ar que contribui para o isolamento térmico da casa. Outra virtude é que esse piso, colocado na casa inteira sem distinção, aceita a flexibilidade e o movimento da estrutura de concreto, a qual mexe muito por ser esbelta.

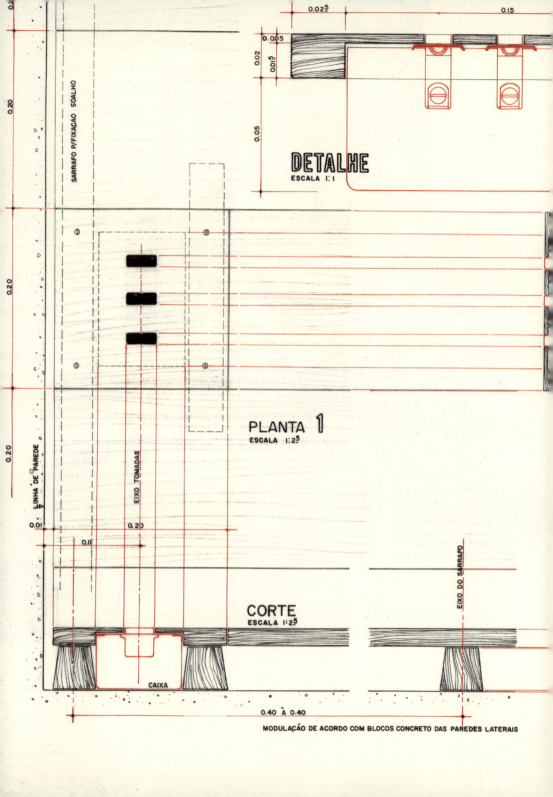

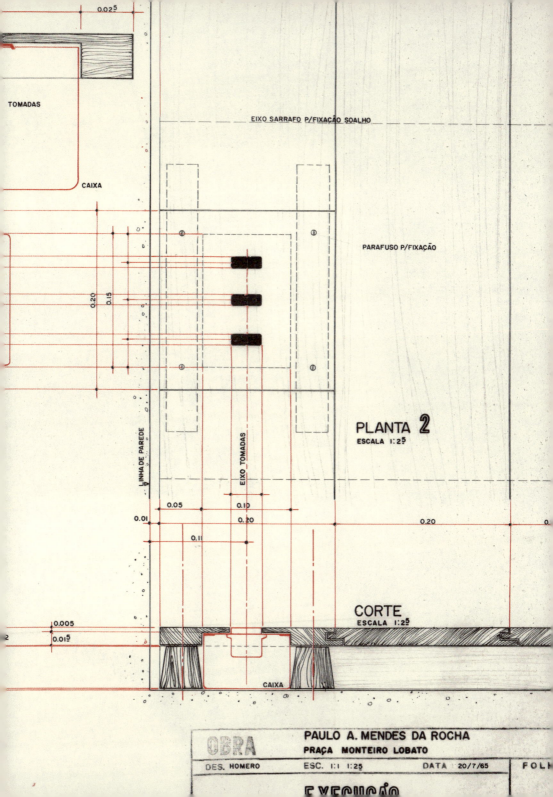

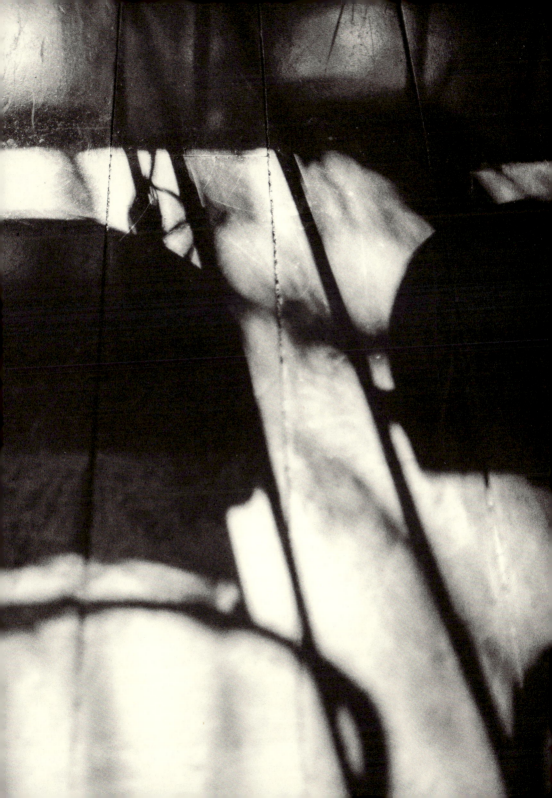

PORTAS

Com paredes tão delgadas, não cabe batente, dobradiça etc. Nós aperfeiçoamos o desenho da porta pivotante cuja vedação, quando necessária, é feita por meio de umas escovinhas usadas em tear, que podem ser cortadas do tamanho que você quiser.

Outra coisa que mandamos fazer foi o puxador. Fizemos de acordo com a geometria da própria porta. O tamanho do puxador é tal que, ao abrir a porta, ele bate na parede, deixando a porta exatamente na perpendicular – assim a porta desaparece.

A maçaneta tem ainda um furinho onde grudamos uma borrachinha, daquelas que se usava num Volkswagen para prender aquele friso cromado por trás do capô. De tal sorte que a borrachinha bate na parede, deixando a porta paralela à parede. O puxador poderia ser de qualquer tamanho ou forma, mas a intenção era exatamente essa. Você vê que uma coisa não vem depois da outra [no projeto], vem junto.

Como a peça poderia gastar devido ao uso, para o pivô da porta fizemos o mesmo detalhe que se usa em um pistão de automóvel: a bronzina. Prevendo o desgaste, você faz uma peça sobre a outra, e troca depois de muitos anos quando precisar. Então, o que se fez foi fixar o pivô a uma chapa metálica e sobre ele o cone de bronze. Conforme ele vai gastando, a porta vai abaixando. Por isso, fizemos ela dois ou três milímetros levantada do chão, uma folga – para alegria das baratas –, e assim a porta vai se acomodando.

E tudo isso nos divertia. Aquilo é uma relojoaria.

Mas é tudo consequência de uma lógica.

A graça desses detalhes é considerá-los também do ponto de vista da lógica, da técnica, da engenharia. São o que se chamaria, em geral, de "encarecimentos de obra". Mas não no nosso caso, pois se você fizer o chuveiro, por exemplo, com todos os canos dentro do box, e tivesse que vedar cada um deles, sairia muito mais caro, e ia vazar sempre também.

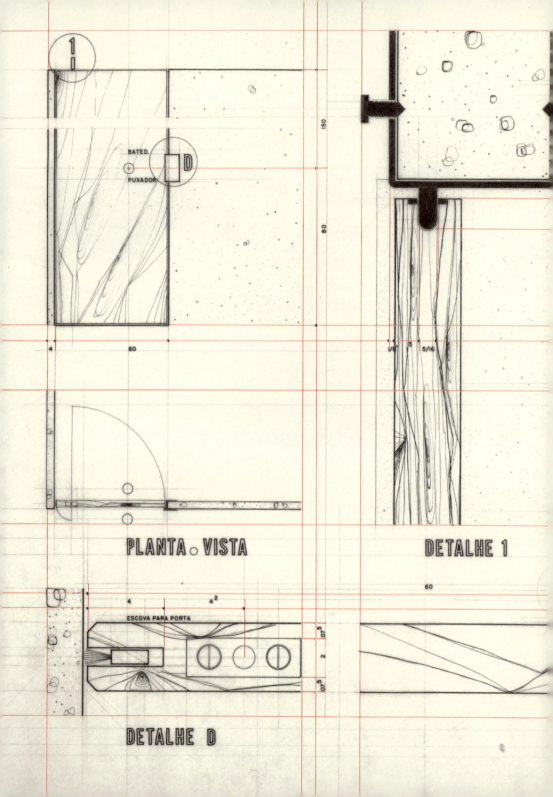

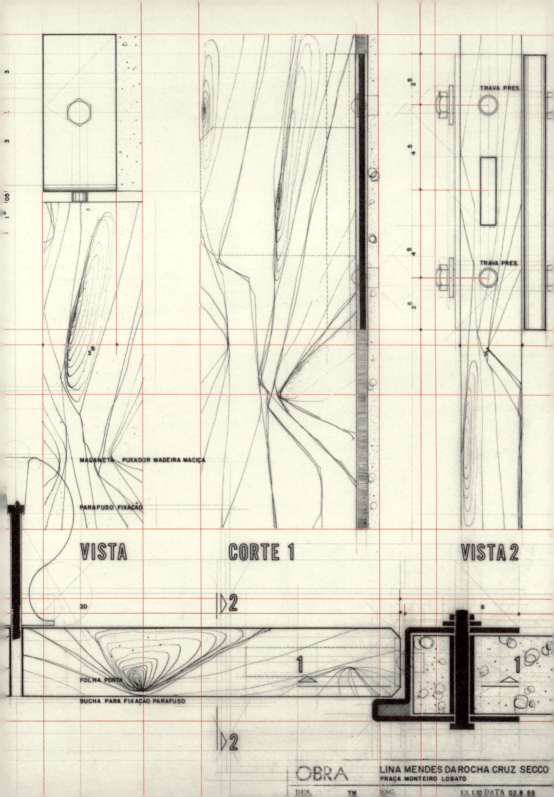

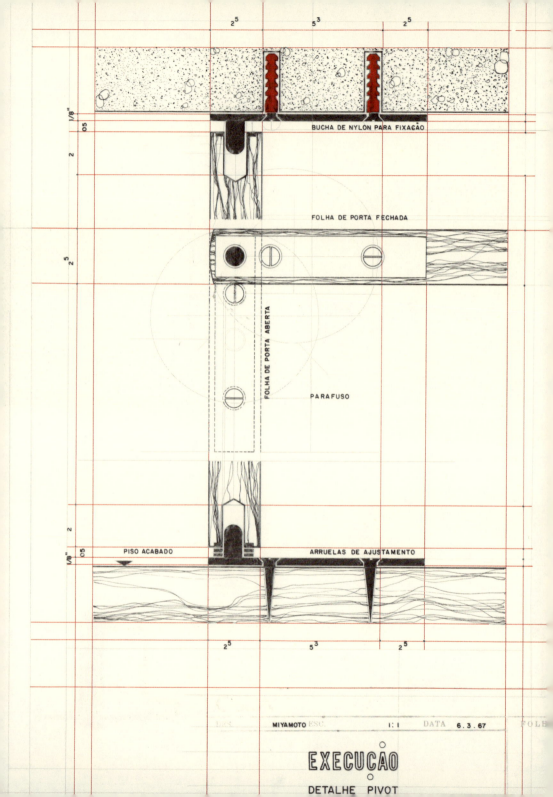

CAIXILHOS

Os caixilhos são justapostos, isto é, não são presos à estrutura de concreto. São 32 caixilhos idênticos – o que volta à ideia da pré-fabricação. Tinham que funcionar de modo articulado e independente, principalmente porque a estrutura atinge requintes de esbeltez, o que, de fato, faz com que ela se movimente um tanto. E isso poderia afetar o sistema de abertura dos próprios caixilhos.

Feita a estrutura de ferro do caixilho, o vidro desliza dentro de um perfil de chapa dobrada guarnecido com um feltro e um debrum de alumínio – usado na época para fixar os vidros do Volkswagen, portanto comprado a metro.

Agora veja como se engendra a genealogia da imaginação. Por ser muito grande (125 x 155 cm), o tamanho do vidro era uma questão.

Sendo uma superfície muito transparente, o vidro pode ser perigoso caso alguém não o veja. Pode se surpreender com a superfície invisível daquele vidro. Para evitar essa situação, é comum colocar um sinal, um adesivo no meio do vidro.

Pensei que tudo ficaria mais cômodo se dividisse o vidro em dois. E que, se fizesse uma sobreposição entre esses dois vidros, seria uma maneira muito elegante de fazer esse sinal, onde a superfície deixa de ser simples para ser dupla, assim evitando o perigo de não ver o vidro.

Surge ainda outra virtude dessa solução: imaginando a água que vem de fora, é preciso ter uma pingadeira no vidro para que ela não entre. Seria melhor não fazer uma justaposição coplanar dos dois vidros, que precisaria ser vedada, mas uma sobreposição entre eles com uma fresta. Com isso você pode dosar o tamanho da faixa de sobreposição: não apenas um ou dois centímetros necessários para a pingadeira, mas de dez a quinze centímetros, criando uma faixa de vidro duplo que fica belíssima!

Mas isso exige a colocação de dois perfis de chapa – um para cada vidro – que precisam ser soldados em dois planos diferentes – um sobre o outro. Se você aumentar suficientemente a sobreposição dos dois (além da ideia da faixa) para

que tenham maior rigidez (afinal, de fato são perfis muito leves), cria-se uma área de sobreposição que permite receber a solda do tripé de ferro para pendurar o caixilho na estrutura de concreto. É um desenho completo, não é feito aos pedaços. Tudo isso vem na mente, daí você faz.

Como toda a estrutura mexe, o caixilho tem que funcionar de forma articulada. Inclusive o trinco tem que ser encaixado assim. Para abrir a janela, você puxa o trinco e solta. Daí eu não resisti e fiz o pino no qual o puxador do caixilho está preso: aquela bolota de ferro como uma rosca que, se você apertar, tranca a casa e ninguém entra.

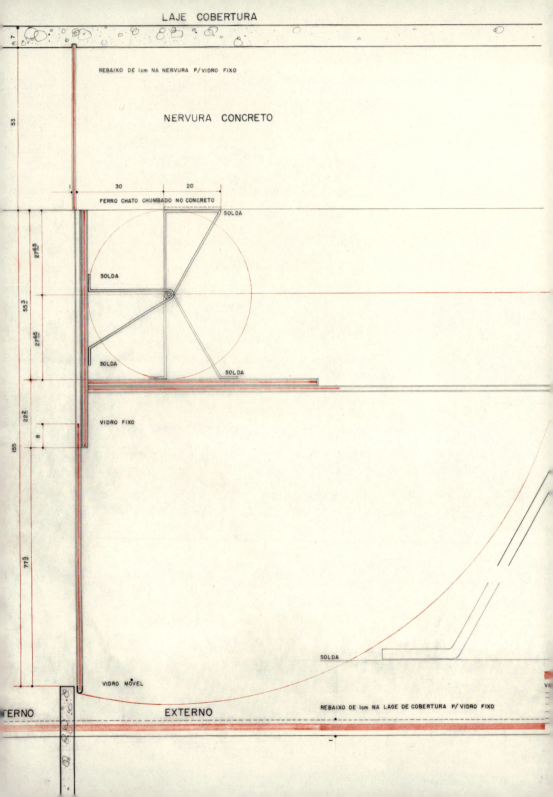

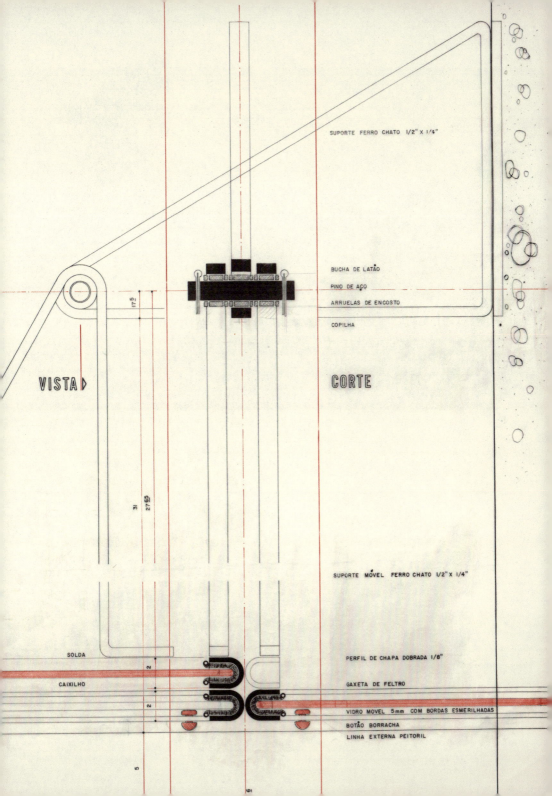

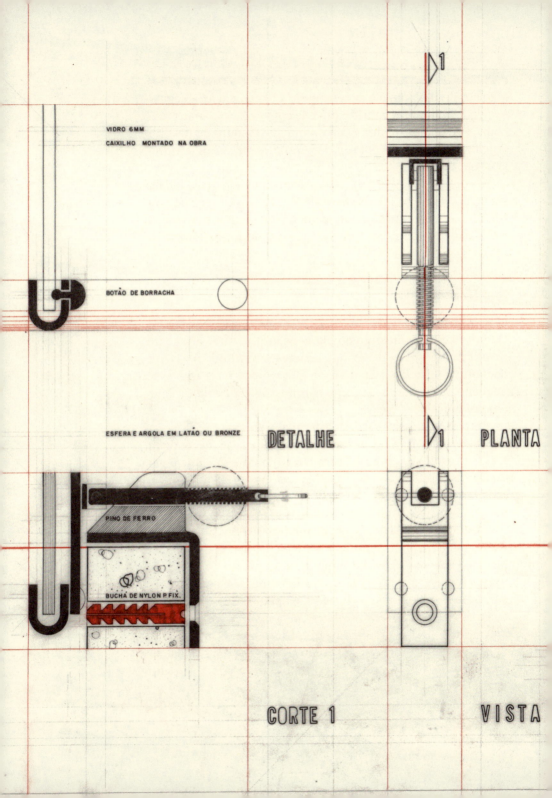

O BANHEIRO: A FAVELINHA DA JOANA

Meu quinto filho nasceu já nesta casa, a Joana. Ela fez o seguinte: pegou um tapete, cobriu a privada com ele, levou uma mesa com um pequeno abajur e sua estante do Tesouro da Juventude, e ficou morando lá por seis meses. "Favelou" o banheirinho. Dormia lá e tudo.

Ela inventou a casa dela. Encortiçou o palácio que o pai havia feito. Uma brincadeira maravilhosa. Para você ver esse contraponto entre a função e o modo como ocupamos os espaços. Nós não dependemos da função. É ela que depende de nós.

O CHUVEIRO

O feito é bastante insólito no plano da arquitetura: se a gente pensar no Mies [van der Rohe], a ideia do mínimo ali é cuspida, porque neste caso é o máximo que se pode fazer com esse pequeno problema – o de como entram a água quente e a água fria nos chuveiros da casa.

Entretanto, lá pelas tantas, surgiu o problema do chuveiro. O chão do chuveiro é um aguaceiro. Não poderia ser de madeira. E esse chuveiro deve receber um buraco para a saída da água. Os outros furos é que são complicados, porque precisam ser vedados. Quais outros? A entrada da água quente e a entrada da água fria, que geralmente são feitos dentro das paredes das casas, as quais têm a espessura de um tijolo. O box do chuveiro é feito também com argamassa armada de três ou quatro centímetros, não havendo onde embutir a tubulação. Bom... nada mais simples: você faz os tubos de água fria e de água quente surgirem do piso, fora do chuveiro, e depois entram na altura das torneiras, na parede do chuveiro, já no alto, livre do chão, dali saindo a vara com o chuveiro propriamente dito. É fácil imaginar. Tudo resolvido. Mas como fazer esse tubinho de água quente? Pensei: "Ah, vamos fazer como em Moscou, a serpentina esquenta a toalha".

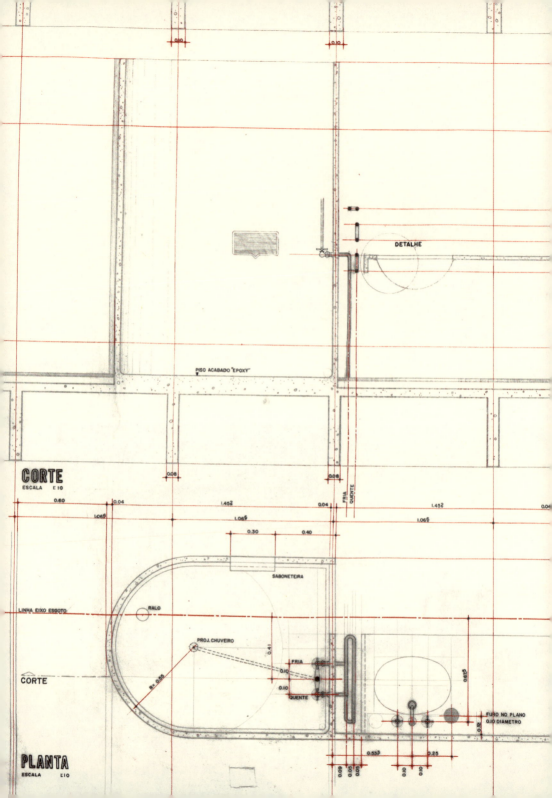

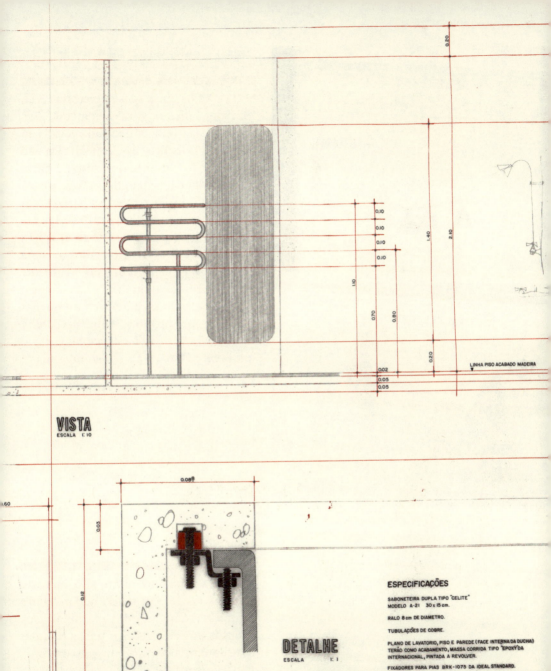

LOUÇA SANITÁRIA

Há também concessões engraçadas. A cerâmica usada em geral nas instalações hidráulicas é feita em biscuit e levada ao forno para vitrificar. Só que a fábrica não faz um revestimento delicado na parte que fica dentro da parede, porque é caro. Mas, no nosso caso, como a parede tem quatro centímetros, a culatra dessas peças apareceria de qualquer modo do outro lado da parede. Nós resolvemos deixar à mostra, assim, sem acabamento, somente pintada, como quem diz: "veja como é o outro lado!". Numa parede convencional, você faz o furo no tijolo, enfia a peça, reboca de novo. Tudo isso custa mais caro do que deixar o furo na parede simplesmente.

ARMÁRIO

O guarda-roupa do quarto não faz parte da construção. Foi posto depois como traquitana para guardar as roupas. Nós fizemos em concreto. E para esconder tudo aquilo, você vira a caixa ao contrário: não vai ficar fazendo porta de armário... deixa um tanto para que você caiba, não precisa de porta.

MODOS DE OCUPAÇÃO

É muito intrigante essa ideia do particular no meio de tudo isso. Faz parte da engenhosidade da ocupação.

Porque técnica... você vê: aqueles carrinhos que o camarada puxa na rua, tocando música, cachorro, bandeira do Brasil pendurada. A roda foi uma grande invenção, mas aquele carrinho é invenção dele. De indigente, ele passou a ser o senhor da coisa que todo dia passa tocando música.

Ou, se lembrarmos da história da mulher que colocou uma porta de geladeira como porta de entrada da sua casa, entendemos que não é mais necessário. O necessário é ter a casa ali no endereço que ela conquistou. O resto é a alegria da invenção. Qualquer criança, como a Joana, ocupa de outro modo. São modos de ocupação. Não faz parte da construção. O desfrute são os modos de ocupação.

Assim eu fiz a casa para elas, as crianças, se divertirem um tanto com essa questão tão solene da arquitetura. A FAU também, apesar da solenidade, tem muito disso. A FAU foi feita para vocês passearem naquela rampa. E até com uma certa malícia – faz de conta que eu sou o Artigas –, para que a gente possa ter o prazer de ficar vendo vocês passarem daqui para lá, e de lá para cá. Senão não tem graça. A coisa fica de uma solenidade estúpida. No fundo, é um divertimento que surge como uma espécie de elogio à maneira como o problema foi resolvido.

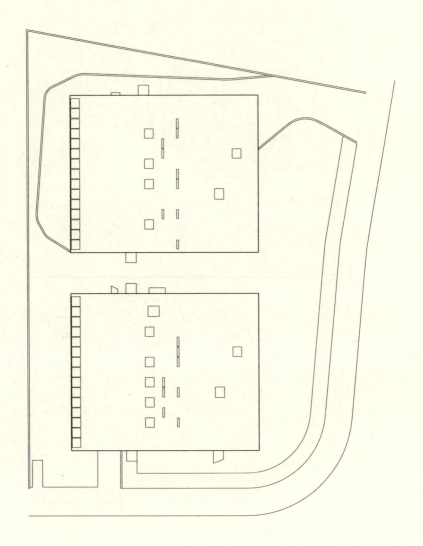

IMPLANTAÇÃO

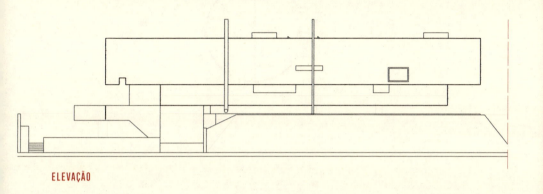

ELEVAÇÃO

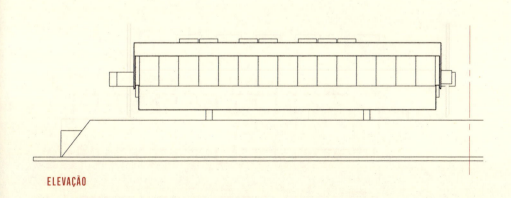

ELEVAÇÃO

0　1　2　　5m

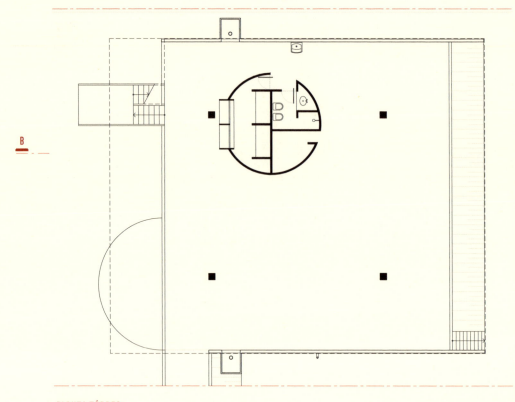

PLANTA TÉRREO

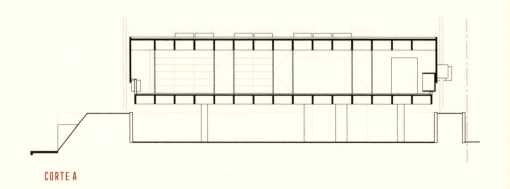

CORTE A

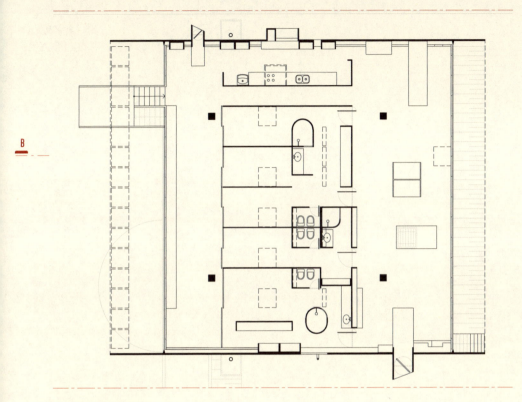

PLANTA 1º PAVIMENTO

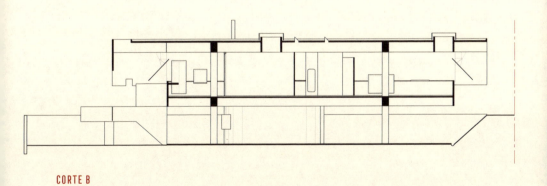

CORTE B

0 1 2   5m

O ESPAÇO COMO PROJETO SOCIAL

FLÁVIO MOTTA

O Movimento da Arquitetura Moderna não foi tão somente um movimento para modernizar a arquitetura, isto é, atualizá-la dentro dos usos e costumes de hoje. Mais do que isso, ele procura ainda recuperar a integridade da arquitetura, na sua ampla e profunda significação histórica, artística e humana. Dizer, por exemplo, que a arquitetura brasileira contemporânea adquiriu prestígio internacional, é uma questão de prestígio que não fecha a questão. Muito pelo contrário, tem desviado o entusiasmo dos mais jovens para problemas competitivos, de nivelamento formal e final, conforme padrões que pouco dizem da consciência, do valor qualitativo e das possibilidades da arquitetura no Brasil. O próprio Niemeyer se esforça em corrigir essa tendência, com seu exemplar prestígio internacional, ao versar os problemas de arquitetura dentro dos rigores da crítica e da autocrítica. Artigas, também, muito pela sua atividade docente e pela sua obra, manifesta continuado empenho na recuperação, preservação e projeção da integridade da arquitetura.

Paulo Mendes da Rocha não se distanciou dos ensinamentos desses dois arquitetos. Na verdade, pertence a uma geração já identificada ao Movimento Moderno, dentro das faculdades, entre o sistematizado e o institucionalizado, onde circulam as predileções e o entusiasmo por certos artistas. Le Corbusier deveria estar entre esses eleitos. Mas, seguindo essa trilha, só derivaríamos por uma árvore genealógica, interminável, caótica pelo emaranhado do explicativo com que se carregam os exemplos. Vamos, pois, ficar por aqui mesmo, onde os exemplos podem ser vistos. A proximidade e a simultaneidade com que procuramos situar os trabalhos de Paulo Mendes da Rocha, em relação aos dois arquitetos brasileiros, é apenas para frisar que os três estão aproximados e comprometidos à mesma experiência histórica e social.

Avançaremos a hipótese de que Paulo Mendes da Rocha encontrou em Niemeyer a tônica do confronto Arquitetura-Natureza, e, em Artigas, Arquitetura-Sociedade. Seria restringir no texto aquilo que é tão rico no contexto. Mas diremos: em um, Niemeyer, na ocupação da Natureza pouco comprometida pela ação do homem – a arquitetura se destaca, cheia de sobriedade, daquela mesma "sobriedade" de que fala Lucio Costa ao tratar da arquitetura dos padres no nosso passado colonial; em outro, como Artigas, é pelo trato, pelo convívio com os conflitos do homem em sociedade, em busca de um viver que garanta a presença desse homem.

Mas esse viver não é simplesmente o resultado de uma "concentração de pessoas como acontecimento natural" – como poderia sugerir a consideração sobre o ginásio coberto do Paulistano (*Acrópole*, 342). A ideia de espaço arejado, iluminado, leve, de fácil acesso, de eficiente circulação, impregnado de boa biologia, pode até representar um anteparo premonitório àqueles que deverão defrontar o "subdesenvolvimento machucado". Esse mundo de elegância, de encantamentos, está na antípoda do viver de uma grande parte da população brasileira. É limpidez de outra espécie, como garça branca, nítida e aristocrática; qual segunda natureza, a lembrar o homem uma generosidade germinal. Nada tem a ver com a condenação irrecuperável. É a arquitetura que tenta "pousar", sem violentações, diante desse homem deformado e transformado no nosso Brasil Central, desse homem mais próximo à Geografia do que à História, que lembra mais a árvore do cerrado do que a Alvorada do Palácio. Tal imagem pode não passar de pura literatice. Mas ela nos oferece o cenário para distinguir as relações Natureza-Arquitetura, sem subordinação a um rigor "técnico", pseudocientífico, métrico, tipo moralidade-ferina. Se essa arquitetura está distante do homem que a contempla com alegria justificada; se ela é vista como pura exterioridade, é porque as distâncias são outras e de outra natureza. O artista, porém, pode se permitir não frustrar o gesto generoso que emerge do puro desejo de comunicação. Bem sabemos, por outro lado, que a solidariedade com a Natureza, em termos de voraz apropriação, é irreversível e conduz à "coisificação". O homem acaba por ter, sem ser. A simplicidade de meios, em Niemeyer como em Paulo Mendes da Rocha, tem a ver também com a solidariedade humana, porque não invade, nem violenta a Natureza. Chega até a ser precária, não por avareza, nem por problemas pecaminosos, mas por um otimismo que confia na solidariedade humana e nos processos de transformação. Não pensa, um minuto sequer, em reter o avanço social em suas formas várias e também novas.

Acreditamos que Paulo Mendes da Rocha se situa nessa área de interesse, sem perder de vista a experiência de Niemeyer. Eliminados os temores, a intriga que reduz o espaço social, então poderíamos ler novamente a expressão "concentração de pessoas como acontecimento natural" – para clube, como para praça ou outro espaço qualquer que venha surgir com nome ou sem nome. Sim, porque há espaços profundamente significativos, sem nome. E isso Paulo Mendes da Rocha já descobriu. Pelo menos assim o constatamos ao conhecermos a nova residência do Butantã. Ali é que se pode distinguir o que chamaremos de "espaço pessoal", de "espaço impessoal". Nesse ponto, vale reconhecer as sintonias com a obra de Artigas, inclusive para deixar de lado certos paralelismos formais, sempre impregnados de transitoriedade no discípulo. O espaço como projeto social, este sim, já ali vai se precisando melhor por um relacionamento do viver meio "w", onde cada um aceita o convívio com os demais, sem muradas sólidas, mas dentro de novas e procuradas condições de respeito humano. É proposta que pede resposta, porque é trabalho criador com sua implícita responsabilidade social.

Gostaríamos de não esconder que foi no contato com essas soluções espaciais que procuramos distinguir "espaço pessoal" de "espaço impessoal".

Quando falamos em significação pessoal do espaço, nos referimos às possibilidades que são oferecidas a cada um de organizar o próprio espaço, ou pelo menos de tomar consciência de que cada um pode projetar ou determinar uma organização *sui generis* de espaço. Tem uns que nem isso têm. São os homens das "Novas caixas de morar" de Rubens Gerchman (IX Bienal). Em termos coloquiais, diríamos que o "espaço pessoal" projetado, nada mais é do que "o arranjar ou arrumar as coisas".

A dominância nesse sentido de organização do espaço se refere, muito mais, a aspectos corporais, às conhecidas comodidades, até o controle remoto, as facilidades técnicas, a aperfeiçoada e exclusiva relação instrumental "bios"-cosmos. Muitos não vão além dessas projeções espaciais. Alguns conseguem apenas transferir um espaço pessoal para outro, como se mudassem de uma estrutura para a outra, em termos arquiteto-cliente. Por vezes penosa, essa transferência, não raro, é pura identificação de "status". Propor novos critérios de relacionamento entre os homens é uma das opções cruciais do artista.

Não raro, optamos pela redução. Introjetamos o mundo, agrupando no espaço individual aquilo que é produto do social.

Assim, homem, mulher, criança, velho, jovem, encurtam o mundo; levam tudo para o quarto, para o armário, para a gaveta; fecham, trancam e protegem o mundo único, pequeno e indevassável universo. Todo esse temor, nada mais é do que uma agressão que determinadas relações sociais cometem contra o indivíduo. O indivíduo se defende tendo coisas; ou atrás das coisas ou dentro das coisas, como aquelas mulheres de pano às cadeiras "integradas", de Paul Harris (IX Bienal).

O homem acumula coisas até virar coisa. Lembremos o cronista que dizia: "Que fazer! Gosto destas cadeiras, deste sofá, deste terraço; hoje estou preso a estes objetos por gratidão, pelas horas de conforto e tranquilidade que me proporcionaram; sou mais grato às cadeiras que me permitiram conforto do que aos artesãos que as construíram, porque eles eu não vejo, nunca vi, nunca verei, escamoteados pelo anonimato. Este universo se move ao meu derredor, sugestivo e digestivo. Coabito num tipo curioso de fraternidade; a fraternidade como pura materialidade que é profunda como a melancolia e distante como a solidão".

É esse o clima dos quadros de Hopper e das figuras de gesso de George Segal (IX Bienal). O homem ali está paralisado pelo temor. Ele vive num tempo específico, rigorosamente determinado. Circula atento e contido, entre muralhas imaginárias que são mais resistentes que as do mundo medieval.

Atenção e tensão se identificam em constatações. O homem imobiliza-se diante das coisas por perplexidade, por dualidade. "Sempre uma coisa diante da outra", no dizer de Fernando Pessoa. As coisas parecem viver independentes. Tudo se soma ou se liga por associações insignificantes, como no mundo esquizofrênico de que fala Jung ("realidade da alma"). O objetivo se faz imaginário e realmente se atira contra nós por uma espécie de deslocamento negativo. Tudo se arma no binômio "coisa" e "não coisa", dos saltos bruscos entre o vazio como espaço de fora, e o vazio como espaço de dentro – como aliás deveria ser o mundo das coisas, silenciosas e cercadas de vácuo. Mas dentro desse *modus vivendi*, pouco resta de *vivendi* se os arquitetos, por reflexão, por experiência, por lá não se sabe mais o quê, não se dispuserem a realmente projetar.

Paulo Mendes da Rocha se atira contra esse imobilismo com ganas de artista, brasileiro, arquiteto que é. Ele ainda nos permite estas investidas na medida em que interessam à arquitetura, porque interessam à arte e ainda porque interessam ao homem. Não só permite, mas instiga, inclusive além-fronteiras, menos por Geografia, mais por História, à procura de um tempo que não foi perdido, mas tirado.

Publicado com o título "Paulo Mendes da Rocha" na revista *Acrópole* n. 343, setembro 1967.

Coordenação editorial FLORENCIA FERRARI e ELAINE RAMOS
Preparação FRANCESCO PERROTTA-BOSCH
Revisão DÉBORA DONADEL
Projeto gráfico ELAINE RAMOS e FLÁVIA CASTANHEIRA
Reproduções dos desenhos técnicos originais EDOUARD FRAIPONT
Desenhos técnicos para esta edição GUILHERME PIANCA
Tratamento de imagem IPSIS
Produção gráfica ALINE VALLI
Fotos de época ACERVO PESSOAL PAULO MENDES DA ROCHA /
AUTORIA DESCONHECIDA (pp. 34-36, 48-51, 54, 56-57, 112)

Todos os esforços foram feitos para localizar os detentores dos
direitos autorais das imagens. Agradecemos qualquer informação.

© Ubu Editora, 2016
© Catherine Otondo, 2016
© ensaio fotográfico Lito Mendes da Rocha, 2016
© posfácio Flávio Motta, 1967

Nesta edição, respeitou-se o novo
Acordo Ortográfico da Língua Portuguesa.

Dados Internacionais de Catalogação na Publicação (CIP)
(Câmara Brasileira do Livro, SP, Brasil)

Mendes da Rocha, Paulo [1928-]
Casa Butantã: Paulo Mendes da Rocha
Organização: Catherine Otondo
Ensaio fotográfico: Lito Mendes da Rocha
São Paulo: Ubu Editora, 2016
112 pp., 59 ils.

ISBN 978-85-92886-13-4

1. Arquitetura 2. Arquitetura moderna brasileira
I. Mendes da Rocha, Paulo II. Otondo, Catherine
III. Mendes da Rocha, Lito

CDD 724.981

Índices para catálogo sistemático:
1. Arquitetura 724.981

UBU EDITORA
Largo do Arouche 161 sobreloja 2
01219-011 São Paulo SP
[11] 3331 2275
ubueditora.com.br

FONTES Arnhem e Frontage
PAPEL Pólen bold 90 g/m²
IMPRESSÃO Ipsis

PORTAS INTERNAS
P/ FECHADURAS TIPO LA FONTE
A. 1.110

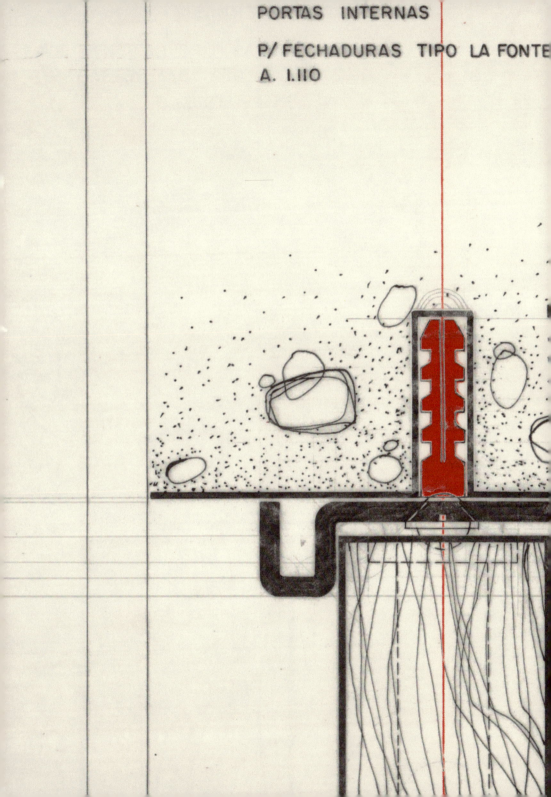

PORTAS EXTERNAS

P/FECHADURAS TIPO LA FONTE S/A

C/2 CILINDROS   C/2 VOLTAS

N.777 D.55 F. LATÃO

S/A

JCHA DE NYLON

TIXAÇÃO

TRAVA